Brasil a gosto

Ana Luiza Trajano

Fotos | Alexandre Schneider

Capa

Piracaia | Rio Tapajós, PA
Melão Amazônico | Santarém, PA

Contracapa

Fitas | Juazeiro do Norte, CE
Círio de Nazaré | Belém, PA

Dedico este livro a minha **Vó Zuleide**, *pelo gostoso sotaque, pela saborosa inspiração e pelas deliciosas manhãs com tapioca.*

Brasil a gosto

Criação e produção geral | Ana Luiza Trajano

Fotos | Alexandre Schneider

Direção geral | Eco Moliterno

Direção de arte | Bruno D'Angelo

Design | Oga Mendonça

Textos e poesias | Eliza Maria Carrara

Edição de fotos | Caio Esteves

Tratamento de fotos | Eduardo Jordão

Entrevistas | Giuliano Zanelato

Produção de artesanato | Gisele Gandolfi

Navegação | Passo a Passo Eco Projetos

Finalização | Shane L. Amaya

Revisão e versão para o inglês | Folio Serviços Editoriais

Dados Internacionais de Catalogação na Publicação (CIP)
(Câmara Brasileira do Livro, SP, Brasil)

Trajano, Ana Luiza

   Brasil a gosto / Ana Luiza Trajano; fotos de Alexandre Schneider. – 1. ed. – São Paulo: Editora Melhoramentos, 2008.

   ISBN 978-85-06-05567-0

   1. Brasil – Usos e costumes 2. Características nacionais brasileiras 3. Culinária – Brasil 4. Cultura – Brasil 5. Folclore – Brasil 6. Fotografias – Brasil I. Schneires, Alexandre. II. Título.

08-10171   CDD-306.40981

Índices para catálogo sistemático:
1. Brasil : Cultura : Sociologia 306.40981

© Ana Luiza Trajano
© Alexandre Schneider
Direitos de publicação:
© 2008 Editora Melhoramentos Ltda.

1.ª edição na Melhoramentos, novembro de 2008
ISBN: 978-85-06-05567-0

Atendimento ao consumidor:
Caixa Postal 11541 – CEP 05049-970 – São Paulo – SP – Brasil
Tel.: (11) 3874-0880
www.editoramelhoramentos.com.br
sac@melhoramentos.com.br

Impresso no Brasil

Capítulo 1 | Junte os ingredientes

Capítulo 2 | Misture tudo

Capítulo 3 | Sirva-se a gosto

Prefácio

UMA CHEFE DE **COZINHA**
viajou pelo Brasil
em busca dos bons temperos
que formam mais de mil
e aqui relato vários
de uma forma bem sutil

E estes versos que fiz
eles vão prefaciar
o livro Brasil a gosto
e nos versos vou contar
as comidas nordestinas
com um sabor exemplar

Eu não conheço o tempero
da região do Sudeste
também do Sul do Brasil
do Norte e Centro-Oeste
e as que conheço bem
são comidas do Nordeste

No Nordeste se come
o feijão com carne assada
de boi, de bode e de porco
também a carne guisada
mocotó ou mão-de-vaca
sarapatel e buchada

O feijão com arroz
e farinha de mandioca
a costelinha de porco
o torresmo e a paçoca
e no café da manhã
beiju, leite e tapioca

E a comida mais típica
da região nordestina
é cuscuz de massa de milho
com a massa grossa ou fina
na cozinha mais humilde
e na mesa mais grã-fina

Picanha, carne-de-sol
galinha de cabidela
peito de galinha assado
que se chama de titela
farofa, angu de xerém
tudo dá certo com ela

O peixe de água doce
bem assado com limão
bredo de coco ou castanha
um estrandê de feijão
milho assado e pamonha
canjica e doce de mamão

Também a fava com charque
e a farofa temperada
com coentro, cebola e cominho
pra comer com charque assada
queijo de leite de cabra
com manteiga engarrafada

Couve-flor feita com ovos
e mostarda no feijão
o bode assado e cupim
bacalhau com macarrão
macaxeira com carne assada
queijo assado e fruta-pão

Angu doce com coco
no café é preferido
e no almoço de domingo
muitos preferem o cozido
carne e osso do boi gordo
e um pirão bem batido

Macaxeira cozida e frita
pra comer com bode assado
também o feijão-macáçar
com mistura de bom guisado
de boi, de bode e de porco
o cabra com estômago oco
fica de bucho quebrado

Bolo de mandioca
bolo de macaxeira
barra-branca e pé-de-moleque
várias comidas caseiras
manauê feito na pedra
com palha de bananeira

Carne-de-sol assada
com o carvão vegetal
com um pouco de gordura
é um sabor sem igual
ofende pouco as pessoas
por ser comida natural

Outras comidas naturais
é macaxeira e carne de bode
leite de cabra e ovelha
que qualquer pessoa pode
comer não contém química
coma bem, não se incomode

Falando em comida boa
já me dá fome na hora
resta-me lembrar algumas
mas já vou parar agora
mas quase todos fazem parte
da culinária lá fora

Aqui termino meus versos
peço desculpa ao leitor
que vive em outra região
e não conhece o sabor
da comida nordestina
que é gostosa, sim senhor

J. Borges | Bezerros, PE

RICARDINHO | COMUNIDADE DO CARVÃO, AP

Qual a receita para se fazer um Brasil?

Com essa pergunta na cabeça, fui atrás de uma explicação que não achei nos livros didáticos. Muito menos nos de culinária. Só encontrei nos olhares, nos gestos, nos hábitos e no modo de vida simples da nossa gente. Respostas escondidas em detalhes que precisei ver bem de perto para conseguir desvendar.

Norte, Nordeste, Centro-Oeste, Sul e Sudeste. Foram mais de quatro meses viajando em busca dos verdadeiros ingredientes do nosso país. Durante esse tempo, pesquisei a fundo todos os pratos típicos, aprendi os inúmeros segredos locais e observei atentamente cada fogão a lenha, cada colher de pau, cada panela de barro. Acabei descobrindo que, na verdade, a culinária brasileira é uma mistura bem mais rica do que imaginava. Um conjunto de elementos que vai muito além dos limites de uma cozinha.

O folclore, o artesanato, as lendas populares, a poesia: todos são condimentos indispensáveis para a elaboração de um prato genuinamente brasileiro. Tudo sempre com uma boa pitada de religião – que, para muitos, é a única receita. Percebi que nosso verdadeiro sabor surge da riqueza de combinações como feijão e fé, música e mandioca, peixes e paixões. E aprendi que o segredo de uma boa receita está exatamente naquilo que fica do lado de fora da panela.

Essa longa pesquisa resultou neste livro, uma síntese de tudo que vivenciei com esse povo maravilhoso – momentos registrados nestas páginas graças à equipe de profissionais que me acompanhou nessa jornada. Pessoas que me mostraram um cardápio raro de sons, sabores, aromas e imagens. Temperos que compõem esse delicioso prato chamado Brasil.

Espero que seja tão saboroso pra você quanto foi pra mim. Bom apetite!

Ana Luiza Trajano

ANA LUIZA | BARCO BELÉM-MACAPÁ

Junte os ingredientes

ALEGRIA | COMUNIDADE DO CARVÃO, AP

Cana decepada, moída e entornada.
Na ponta dos dedos, o rachar do trabalho.
De mãos negras na fornalha. Incandescente.
Na ponta da língua, o doce suor dessa gente.

Sabor açucarado que apetece,
Mesmo sem o primor do paladar.
Refeição negra, sertaneja ou livre,
Que qualquer um pode provar.

NOTA INTENSA DE DOÇURA, RAPADURA.
Doce sedução.
Gulodice indispensável
Pro cabra da peste do sertão.

Com água e rapadura,
O rapaz não faz envergadura.
Com a pura energia em ponto de barra
Pára em pé com formosura.

MELAÇO | JUREMA, PE

RAPADURA | JUREMA, PE

FEIJÃO | CARIRI, CE

SUOR | JUREMA, PE

Rainha do Brasil, tua coroa é a terra
Seu corpo de raiz abriga o amido vivo
Que mata a fome do homem,
Que transforma a tua forma bruta
Na lenda que alimenta e enriquece
A cultura de barriga deste país.

Arranca da terra a nossa rainha
Descasca, mói, cozinha
Revela o seu alvo interior
No mais puro deleite de sabor.
MANDIOCA, MAIS ÚTIL DO QUE ELA,
Só as mãos do trabalhador.

RALADOR | COMUNIDADE DO CARVÃO, AP

PENEIRA | CARIRI, CE

SERINGUEIRA | MAGUARI, PA

ESCAMA | BELÉM, PA

Ouro Negro da Amazônia,
Lendário fruto da palmeira
Que nas alturas prolifera
A polpa nutritiva costumeira.

AÇAÍ DE MANHÃ, DE TARDE OU DE NOITE,
Uma gula que não é pecado
Sem essas negras frutinhas
Não existiria o meu reinado.

Sabor saudável de tantas estações,
De canoa viajarei para buscar.
Muitas rasas cheias do sabor que fortifica.
Minha boca faz enchente só de imaginar.

Tímido fruto cor da noite.
Tão tímido que no mais alto habita.
Enxerga a natureza de cima
Fazendo a floresta de guarita.

CABOCLO | IGARAPÉ DO RIO GUAJARÁ, PA

AÇAÍ | COMUNIDADE RIBEIRINHA, PA

BANANA-DA-TERRA | CACHOEIRINHA, PE

"NOSSA FARMÁCIA FOI A **FLORESTA** E NOSSO MÉDICO FOI **DEUS**."

GABRIELA, 19 ANOS | COMUNIDADE DO CARVÃO, AP

CARANGUEJO | BELÉM, PA

MANGUE | ILHA DE MARAJÓ, PA

CANA | CARIRI, PE

LAGOSTIM | TAMANDARÉ, PE

PESCA | SOURE, PA

REDE | MAZAGÃO NOVO, AP

PEIXE | RIO TAPAJÓS, PA

LINHA | SÃO BENTO, PB

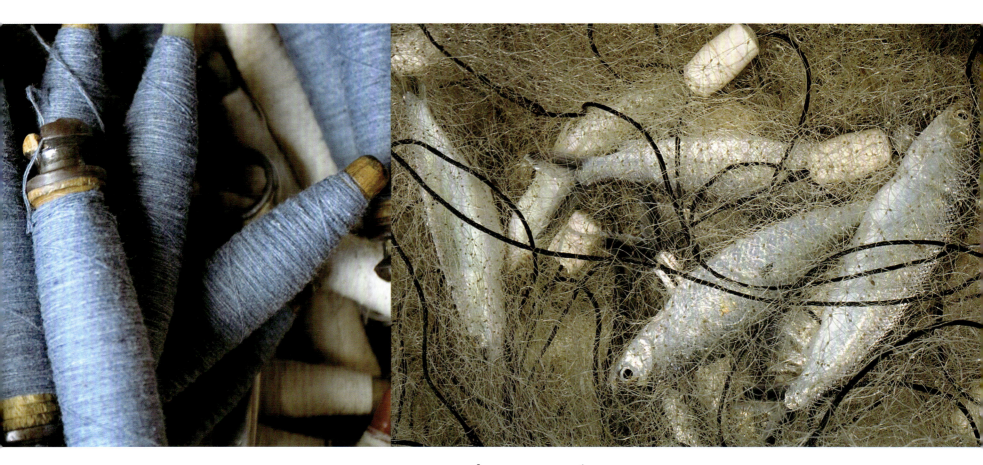

PEIXE + LINHA | PRAIA MARIA JOSÉ, PA

Quem nasce pescador é criado para entender
e respeitar a natureza, para que assim o sustento nunca falte.

Tecem as próprias redes com perfeição, transmitindo os segredos
de pai para filho em um entrelaçado de lembranças e saberes.

O PEIXE PESCADO SE TORNA ORGULHO,
um troféu natural capaz de fazer prosperar a vontade de vencer na vida.

REDE | SÃO BENTO, PB

BILROS | ALCAÇUZ, RN

TÉCNICA | ICOARACI, PA **CERÂMICA** | ICOARACI, PA

FRUTAS | NATAL, RN   **SIRI** | ILHA DAS CAEIRAS, ES

SEU TOMÉ E DONA DEUSA | COMUNIDADE DO CARVÃO, AP

FARINHA DE MANDIOCA | COMUNIDADE DO CARVÃO, AP

ÁGUA | BREVES, PA

TEAR | SÃO BENTO, PB

TORNO | MARAGOJIPINHO, BA

CERÂMICA: Influenciada pelos quatro poderes da natureza – terra, água, fogo e ar –,
É A PROVA DA RELAÇÃO DE INTIMIDADE DO HOMEM COM O MEIO.
Herança deixada pelos índios, sua concepção é espontânea, fruto da sensibilidade
e ingenuidade do artesão que trabalha a matéria-prima para expressar sua espiritualidade
e revelar aspectos da cultura e dos hábitos do seu povo.

SUTILEZA | GOIABEIRAS, ES

DETALHE | MARAGOJIPINHO, BA

RGULHOSO FELIZ CORAJOSO BATALHADOR ATR
USADO ÁGIL CAPAZ EFICAZ PERSPICAZ TALENT
OSO SOBERBO NATIVO FORTE IMPLACÁVEL IRÔ
RINCALHÃO SARCÁSTICO AUDACIOSO DESTEM
RROJADO INTRÉPIDO GIGANTE BELO SINGELO
UDAZ PRAIANO LATINO MORENO BRONZEADO
INGELO NATURAL DESEJADO INVEJADO ADMIRA
ONESTO RESPEITADO AMBICIOSO MALANDRO
ONITO SENSUAL SAFADO SIMPLES SOSSEGADO
OR HUMILDE SUBDESENVOLVIDO GENEROSO
ENTE SOLIDÁRIO COMPANHEIRO GENTIL BRIOS
UTÊNTICO NACIONAL **BRASILEIRO** DESTEMIDO
SFORÇADO VIGOROSO ROBUSTO IMPULSIVO O
O GRANDIOSO EMOTIVO PASSIONAL ORIGINA
OBRE VALENTE SELVAGEM CRIATIVO INVENTIVO
ÁBIO SABOROSO GULOSO BEBERRÃO ENGRAÇA
ESTEIRO ZOMBADOR PROVOCADOR INABALÁV
NATINGÍVEL INCOMPARÁVEL ÚNICO CARANGUE

FARRA | MARAGOJIPINHO, BA

ESPERA | TAMANDARÉ, PE

ALAMBIQUE | RIO PARDO DE MINAS, MG

A MÃO É UM INSTRUMENTO QUE, COMO EM UM MILAGRE,

TRANÇADO | SURUACÁ, PA   PANELEIRAS | GOIABEIRAS, ES

TRANSFORMA O ESTADO RUDIMENTAR E CONCEBE A FORMA

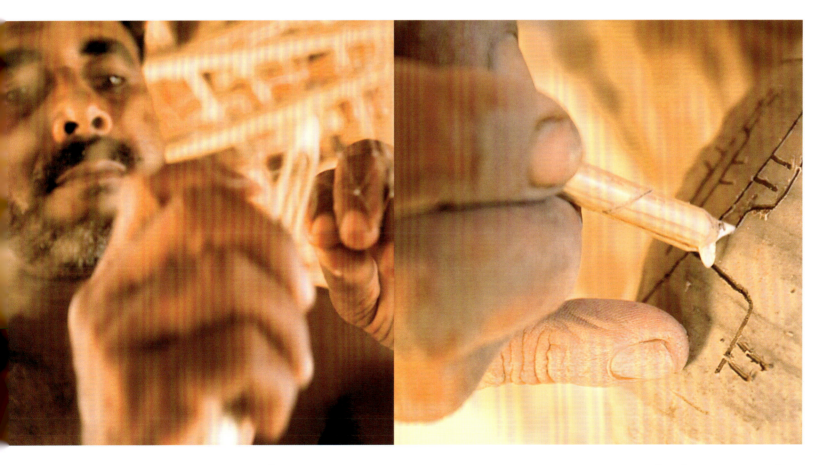

TRAMA | MARAGOJIPINHO, BA　　　　**PRECISÃO** | ILHA DE MARAJÓ, PA

AÇOITE | VITÓRIA, ES

Menino do dente de leite
Vá buscar carvão
Encha a tua latinha de brasa
E ME TRAGA O QUEIJO DO SERTÃO.

QUEIJO | SERRA NEGRA, RN

FAZER QUEIJO É TRADIÇÃO de muitas famílias brasileiras que, com o passar dos anos, aprimoraram suas receitas e aumentaram o volume da produção. Em cada região, o sabor desse valioso produto assume algumas variações em relação à quantidade de sal, tempo de cura e cozimento. Mas em nenhum momento deixa de ser irresistível para acompanhar doces de cortar, compotas, frutas, farinha de mandioca ou apenas derretido na frigideira ou na brasa.

Cada pedaço cortado do queijo coalho, ou queijo do sertão, reúne inúmeras recordações de um sabor saudosista, um gosto de casa que parece retornar do aconchego dos lares sertanejos. Sua valorização é a prova de que, por onde você caminhe neste país, sempre irá encontrar algo peculiar, de características que marcam um convite irrecusável para saborear um pouco de história e paixão.

LEITE COALHADO | CACHOEIRINHA, PE **COALHO + MANTEIGA** | ARAÇUAÍ, MG

QUEIJO MANTEIGA | CACHOEIRINHA, PE

ARRASTÃO | PRAIA MARIA JOSÉ, PA

CASTANHA DE CAJU | MAZAGÃO NOVO, AP

" Meu Jesus crucificado
Perdoai o meus pecado
Trazei o meu corpo fechado
Teje em pé ou deitado
Dormindo ou acordado
O meu corpo não será ferido
Nem o meu sangue derramado
PARA SEMPRE **AMÉM**."

(Oração dita pelo artesão Tião, todo dia antes do trabalho)

TIÃO | TIRADENTES, MG

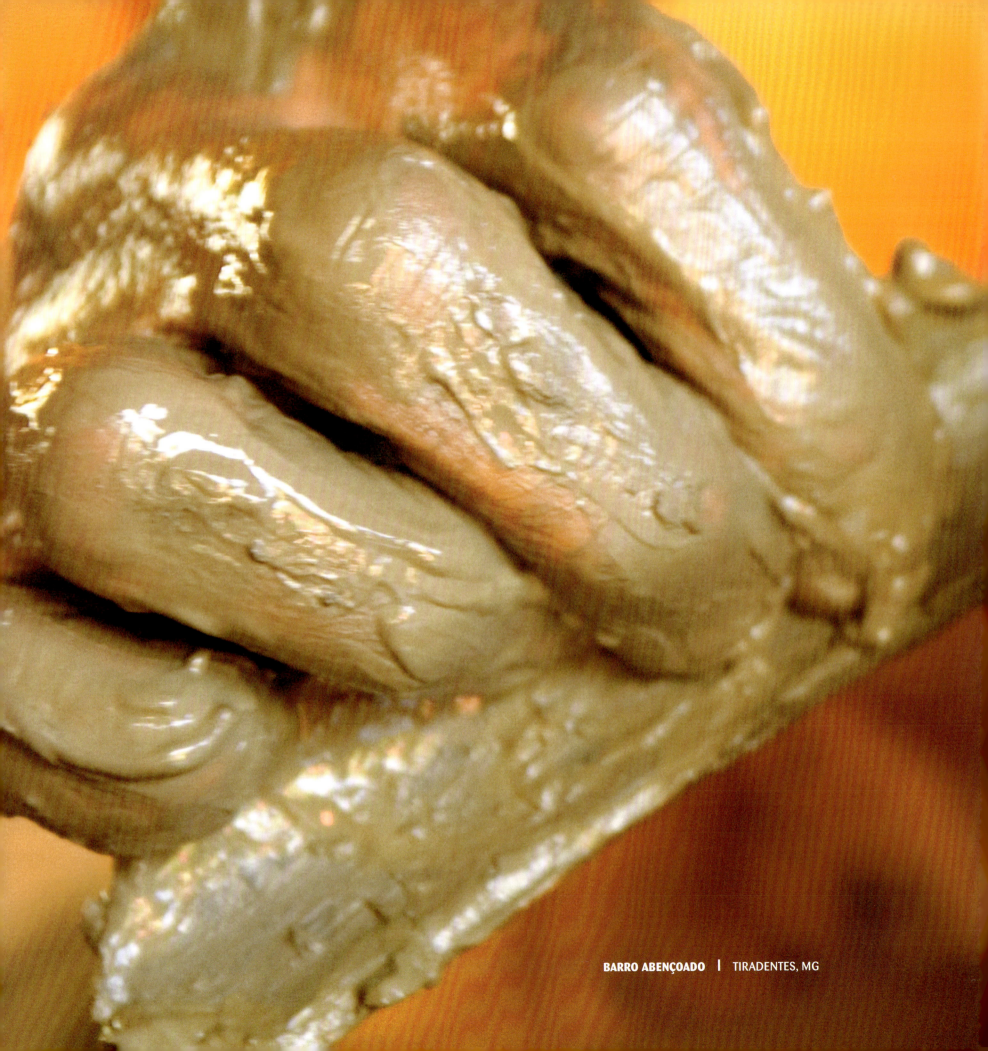

BARRO ABENÇOADO | TIRADENTES, MG

COLHER-DE-PAU | PASMADO, MG   TACHO | VALE DO JEQUITINHONHA, MG

Pescada, piranha, piapara, pawá, piau e pirarucu.
Passou a piracema e as **PAIXÕES DO PESCADOR**
já pulam espertas pelo mar. Ele prepara a rede, aperta
o punho e puxa a peixada. Tempera um pouco na praia,
depois põe uma pitada de pimenta, espreme a caipirinha e pronto!
Podem pegar seus pratos para provar a piracaia.

PESCADOR | PRAIA DA PIPA, RN

PIRANHA | RIO CAPIVARI, MS

CHARUTO | RIO TAPAJÓS, PA

TROPA PANTANEIRA | NHECOLÂNDIA, MS

Misture tudo

FEIRA DE CAMPINA GRANDE | CAMPINA GRANDE, PB

FEIRA DE SÃO JOAQUIM | SALVADOR, BA

MERCADO DE PANAIR | MANAUS, AM

FEIRA MANAUS MODERNA | MANAUS, AM

MERCADO MUNICIPAL | SÃO PAULO, SP

TUCUNARÉ | MANAUS, AM

ARTESANATO | SALVADOR, BA

ODE CHEGAR FREGUESIA, TÁ NA MÃO, **CADÊ O TROCO DA SENHORA,** TEM
UE FAZ, E **TEM UM DESCONTINHO SE LEVAR MAIS,** TÁ PRONTINHO, COMO É C

PRAZO, **É POR PESO,** POR PEDAÇO OU PEÇA INTEIRA, **CHEGA MAIS MINHA GE**
BRIGADO, **TÁ CHEGANDO MAIS,** NÃO SE APERREIE, PÕE DE MOLHO, PODE PRO

A HOJE, ACOMÉ, FOI FEITO QUANDO, TÁ NO PONTO, **TÁ FRESQUINHO,** O SENHO
FAZ, TEM COMO LEVAR A ENCOMENDA, **TEM MAS ACABOU,** É MULHER PRA TE

FEIRA DE CAMPINA GRANDE | CAMPINA GRANDE, PB

QUE NA MINHA MÃO É MAIS BARATO, EMBRULHE ESTES PRA MIM, POR FAVO
ME DÊ UM BOCADINHO, OFEREÇA A ELA, **TEM ESTES AQUI,** PODE ESCOLHER.

ERVAS SOLTAS | MANAUS, AM

ERVAS EMBALADAS | BELÉM, PA

MADURA | MANAUS, AM

VERDE | SANTARÉM, PA

FEIRA DE CARUARU | CARUARU, PE

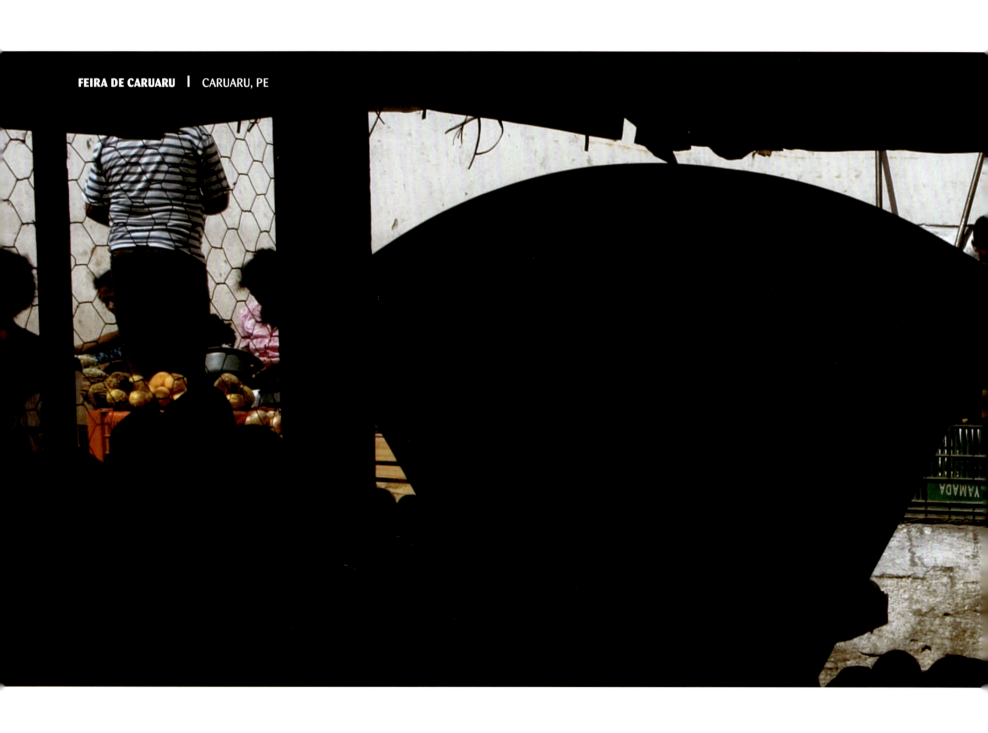

MELANCIA | PASMADO, MG

QUEIJO COALHO | CARUARU, PE

CARRINHO DE MÃO | CARUARU, PE

ACEROLA | CAMPINA GRANDE, PA

GALINHAS | CAMPINA GRANDE, PE

FEIJÃO DE CORDA | CARUARU, PE

ALGODÃO-DOCE | CARUARU, PE

MAMÃO | MANAUS, AM

MÁ MÃO | MANAUS, AM

COBERTOS OU A CÉU ABERTO, OS MERCADOS
brasileiros são verdadeiros templos da mistura. Freqüentá-los é como
estar numa festa que não cobra ingresso. É gente que passa, que fala, grita,
canta, rodeia, espia, pergunta, experimenta, negocia, reclama e aproveita.

Carne, grãos, feijão, peixes, ervas, pimentas, especiarias, santos, queijos,
doces, frutas, utensílios e tudo aquilo que não se imagina. O freguês
dá sua simpatia e seu carisma. O funcionário, alegria e satisfação. Assim,
tudo vai funcionando como uma enorme panela cheia do bom e do melhor.

Tem rabo de saia, comida quente, comida fria, animal vivo, animal morto,
gente zombando do mundo ou apenas curtindo o lado simples da vida.
Uma miscelânea de qualidade totalmente nacional pronta para ser digerida
pelo pobre e pelo rico, pelo nativo e pelo forasteiro, pelos que odeiam ou amam.

MERCADO VER-O-PESO | BELÉM, PA

CUIA DE TACACÁ | BELÉM, PA

MERCADO DO AÇAÍ | BELÉM, PA

PORTO | MANAUS, AM

RASAS | BELÉM, PA

ORGULHO | MANAUS, AM

OURO DO SERTÃO | JUAZEIRO DO NORTE, PA

TEM SACOLA CHEIA, BALAIO NA CABEÇA, EMBRULHO NA MÃO, CAIXA EMPILHADA, CARRINHO EMPU

PATO | BELÉM, PA

ADO E UM **JEITO** TODO BRASILEIRO NO OLHAR DE CADA UM QUE POR LÁ ESTÁ PASSANDO.

EQUILÍBRIO | MANAUS, AM

PASSATEMPO | SALVADOR, BA

BUCHO | SALVADOR, BA

MANTA | CARUARU, PE

SANGUE | NATAL, RN

PRA VIAGEM | SALVADOR, BA

DOCES | CARMO DO RIO CLARO, MG

Sirva-se a gosto

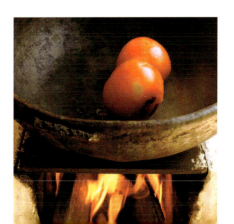

"A Alca é o *fim* da soberania"

O povo precisa perceber que política não é jogo de elites, mas sim uma disputa pelo poder real

Alienação pr

REALIDADE | SURUACÁ, PA

ARRANJO | CARIRI, CE

CAPRICHO | SERRA NEGRA, RN

AS COZINHAS SÃO COMO UM ALTAR, onde tudo é preparado com muito carinho, respeitando as tradições de cada lugar e as condições de cada família que por aqui vivem seus destinos e contam suas histórias.

FORNO A LENHA | CARUARU, PE

RANCHO | TAMANDARÉ, PE

REBOCO | SURUACÁ, PA

BARCO | SANTARÉM, PA

A PITADA DE **SIMPLICIDADE** DÁ AQUELE TOQUE

FOGÃO | VITÓRIA, ES

QUE TRANSFORMA A REFEIÇÃO EM CELEBRAÇÃO.

MOSAICO | VITÓRIA, ES

DONA MARIA | MANGUINHOS, ES

MOQUECA CAPIXABA | MANGUINHOS, ES

COZINHA | SURUACÁ, PA

CAFEZINHO | RIO PARDO DE MINAS, MG

BULE | ARAÇUAÍ, MG

REQUEIJÃO | VALE DO JEQUITINHONHA, MG

MIGALHAS | DELFINÓPOLIS, MG

GALINHA DE CAPOEIRA | SERRA NEGRA, RN

DESCANSO | CARUARU, PE

ESPIADA I MACAPÁ, AP

PÍFANOS | CARUARU, PE

Ingrediente secreto da nossa terra, é nosso jeito de transformar tudo e todos em alegria. De temperar vida, alma e desejos desse povo que assopra, bate palma,

canta e rodopia ao som da batucada do coração. VIVA A **MÚSICA** BRASILEIRA! Abençoados sejam aqueles que preferem cantar sua história.

CONGO | VILA VELHA, ES

CÍRIO DE NAZARÉ | BELÉM, PA

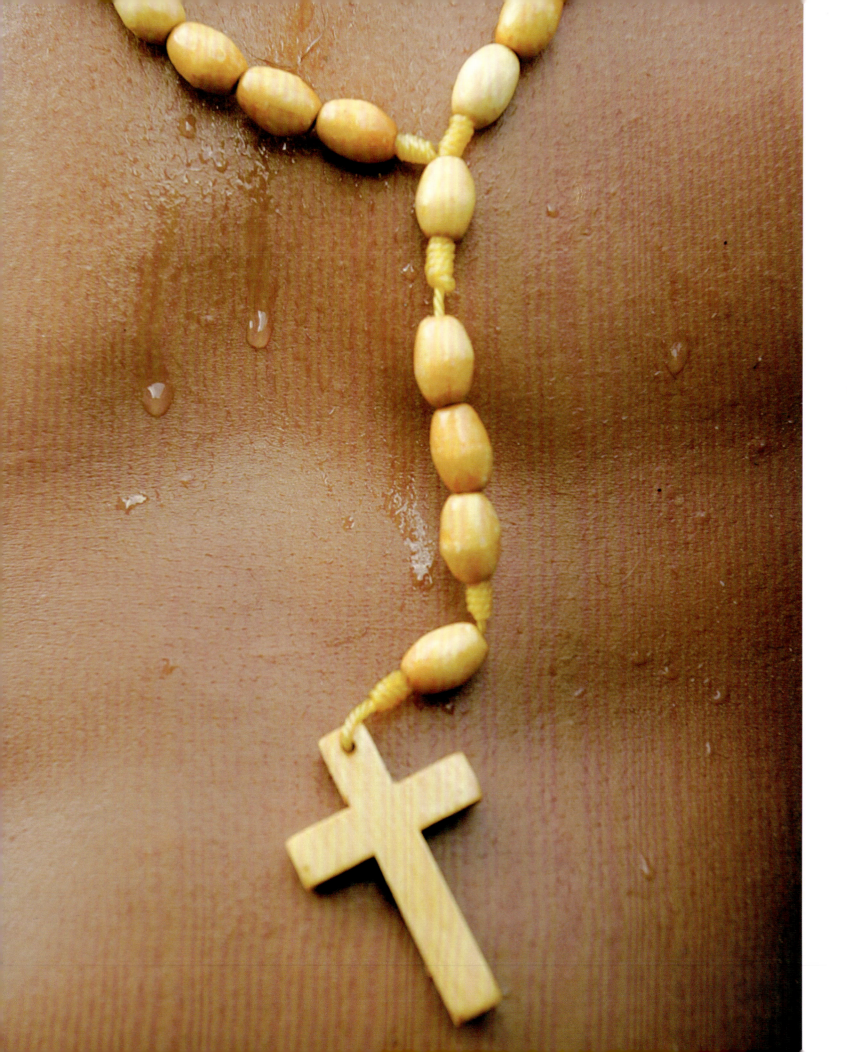

FÉ | BELÉM, PA

LAVADEIRA | SÃO BENTO, PB

TOMATE | MANGUINHOS, ES

O GAÚCHO FAZ **CHURRASCO** DESDE MOÇO
Preciso no golpe, do corte é artesão
Não precisa nada mais do que sal grosso
Para espetar a peça inteira no chão

Com o ritual do fogo bem preparado
Respeita sempre a mais pura tradição
Carne não é feita pra guri afobado
Requer cuidado, paciência e chimarrão

CHURRASCO NA VALA | SÃO FRANCISCO DE PAULA, RS

CUIA | MAZAGÃO NOVO, AP

RICARDINHO | COMUNIDADE DO CARVÃO, AP

English version

Foreword

This book is presented by a "cordel" poem, a form of popular poetry traditional to northeastern Brazil. These verses describe different kinds of typical foods and plates, all of which can be found either "in the humblest **kitchens** or on the most sophisticated tables" of that region.

Which are the ingredients of a recipe called Brazil?

With that question on my mind I started the search for the answers I had not found either in didactic or culinary books. I would find them in our people's regards, gestures, manners and simple way of life – all hidden in subtle details, which demanded close observation to be unveiled.

It took me more than four months traveling – North, Northeast, Middle West, South, Southeast – to find out the genuine ingredients of Brazil's very special recipe. During that journey, every typical food I came across was thoroughly observed and tasted, and each kind of stove, wooden spoon or clay pot was attentively examined. When the countless cooking secrets of all the regions I passed had been patiently disclosed, I finally realized that Brazilian cooking is, indeed, a mixture richer than one can imagine. It's an ensemble of peculiar components that go far beyond the limits of a kitchen.

Folklore, workmanship, popular tales, poetry: all these are essential spices used to prepare a genuine Brazilian meal, always with a generous relish of religion, the unique flavor for lots of people. In reality, the distinctive taste of our plates results from savory combinations, such as beans and faith, manioc and music; fish and passion. That's what I had to learn to discover this: the secret of a good recipe remains precisely in what stays outside the pan.

This book is the outcome of a long research. It's also a synthesis of the delightful moments I lived amidst amazing people. Most of them are registered on these pages thanks to the team of professionals who shared with me the emotions of that journey. They showed me a rich menu of sounds, tastes, scents and images, condiments that are parts of a delicious recipe called Brazil.

I hope you appreciate this recipe with the same pleasure as I did.
Bon appétit!

Gather the ingredients

This poem praises the "sweet seduction" and other qualities of **rapadura**, lumps of brown sugar that are very popular in the inland areas throughout Brazil.

Poem dedicated to one of the most popular Brazilian food: **cassava**, also called **manioc**, which "relieves hunger and enriches our country".

This poem exalts the nutritious properties of **açaí**, a palm tree fruit typical of northern Brazil. Known as "the Black Gold of Amazon", people are recommended to consume its tasty pulp "every morning, in the afternoon and also at night".

"The **forest** was our drugstore and **God** our physician."

Those who were born fishermen are educated to understand and respect nature, so that their sustenance is preserved.

They weave with perfect skill their own nets and convey these secrets from father to son, as if they were webbing a network of remembrance and knowledge.

The captured **fish** becomes a motive of pride, a natural trophy that stimulates the will of striving for success.

Influenced by the four elements of nature – earth, water, fire and air – **pottery** is an evidence of man's close relation with the environment. A legacy received from the indians, it's conceived spontaneously, as a result of the artisan's sensibility and simplicity in modeling the raw material. However, pottery is not just an expression of the artisan's spirituality. Furthermore, it's a fascinating way of revealing different aspects of a people's culture and customs.

In this text are shown some of the main characteristics of the so-called crabmen, people who live on the catch of crabs in swampy grounds. They are, for instance, "blunt, bold, brave and, above all, **Brazilian**".

The **hand** is the instrument that, as in a miracle, changes the raw material to conceive a form.

In these verses, someone asks a little boy to bring some clot **cheese** and grill it on a brazier. This kind of cheese is typical of northeastern Brazil.

Cheese-making is a tradition in many Brazilian families. From generation to generation the recipes were improved and the production was increased. In each region, the taste of this valuable product presents some peculiarities concerning the amount of salt, cure duration and cooking procedures. However, in no moment cheese lost its irresistible charm as an excellent companion for sweets, compotes, fruit and even cassava flour. It's also appreciated melted in a frying pan or on burning coals.

In each piece of clot cheese, also known as hinterland cheese, there are different memories of ancient flavors, a taste of home that seems to come forth directly from the hinterland kitchens. The prestige of this rustic product is a proof that, wherever you go in Brazil, you'll always find out aliments whose peculiar characteristics are an irresistible invitation to savor a relish of history and passion.

In this **prayer**, the potter Tião begs Jesus to protect him before starting his work.

Poem about the Piracaia, a ritual in which the **fishermen** prepare the fishes right after they've been caught.

Mix it all

Examples of questions and announcements heard in popular market places. In most cases, they are proclaimed in loud voice or even cried out: "**Come on, nice people.**" "My products and prices are the best". "**Here you may choose and taste**". "Is it fresh? Have you got it yourself?". "**I'll take those. Wrap them up for me**". "Sorry, it's over. But you may buy these ones. I guarantee they will do too". "**I'll make a special price if you take the whole lot**". "Hurry up! The lady is waiting for her change". "**Why don't you buy another one? Believe me, you'll regret**".

Covered or roofless, Brazilian **market** places are, truly, mixture temples. Those who frequent them feel like guests of a free admittance party. In the moving crowd there is always someone talking in loud voice, singing, moving around, handling the products and checking their prices, asking and answering questions, bargaining, protesting and tasting everything that is offered.

Meat, grains, beans, fishes, herbs, peppers, spices, saints, cheese, sweets, fruit, tools and a variety of products no one can imagine. The customers participate with kind gestures and attitudes. The seller corresponds with satisfaction and joy. Thus, everything goes on harmoniously, as in a huge pan overflowing with plenty of delicious food.

In a market place one can find young and old women, hot and cold meals, living and dead animals, people mocking or enjoying the simple facts of everyday life. It's a rich and genuine made in Brazil mixture, ready to be savored by either poor or rich customers, native or foreign ones, by those who love or disdain the offers of life.

There you can see overfilled bags, baskets carried on the top of the head, lots of packages hanging from busy hands, piles of packing cases, small carts being pushed by frenzied customers and the peculiar Brazilian **way** of regarding everything and everybody.

Help yourself

A kitchen is a sort of **altar** where everything is fondly prepared. A sanctuary in which each family preserves the local traditions by telling its own history and weaving the tissue of its own lives and fates.

A relish of **simplicity** is the subtle touch that changes a meal into a celebration.

Secret ingredient of our country, music is the instrument we use to change everything and everybody in full joy. It's blowing, clapping hands, singing and whirling in accordance to the beating of their own hearts that our people make their wishes, souls and lives become more flavorous. **Cheers to the Brazilian music!** Blessed those who enjoy singing their own history.

This poems describes how we make the **churrasco** – beef cuts grilled on burning coals –, a typical meal from southern Brazil.

Agradecimentos

Em primeiro lugar, aos meus pais, irmãos, minha família e amigos.

E serei eternamente grata a Angela Camargo, Adriana Franceschini, Caloca Fernandes, equipe da ETCO, Flávia Albo, Glauber Gentil, Izair, Kiki Mori, Luciana Donati, Magno Azevedo, Felipe Neto, Preto, Zé Querosene, Marcos Azevedo, Raquele, Zé da Flauta, às pessoas que nos acolheram (Seu Tomé, Yamada, Dona Jovina, Graça, Mariete, Canário, Gentil, Rodrigues, Idene, ONG Saúde e Alegria, Dantas) e aos chefes de cozinha brasileiros Paulo Martins, César Santos, Maria do Céu, Sabrina, Ofir, Beto Pimentel, Dada, Párea, Miguel e Mário.

Sem vocês eu jamais teria preparado essa receita tão saborosa.